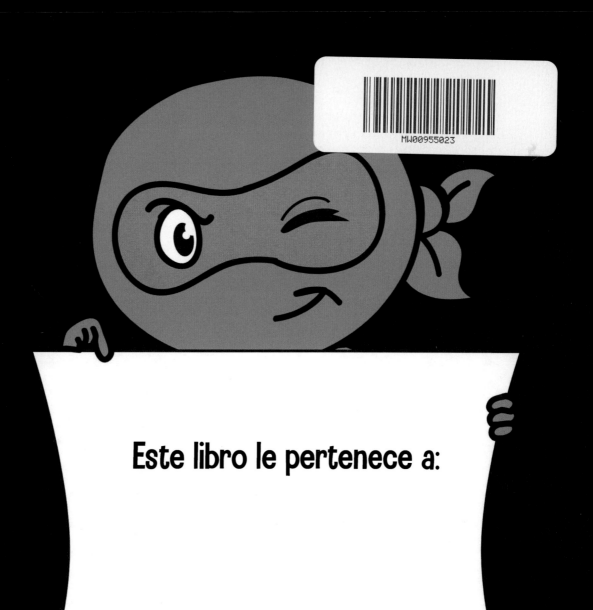

Este libro le pertenece a:

_____

Ninja Life Hacks™

Este libro está dedicado a mis hijos - Mikey, Kobe y Jojo.
La vida está llena de opciones. Elige ser feliz, y no gruñón.

La Ninja Gruñona

Por Mary Nhin

Solía ser la ninja más gruñona del mundo.
Para el desayuno, mi mamá hizo el plato favorito de mi hermana....

Y eso me puso de mal humor.

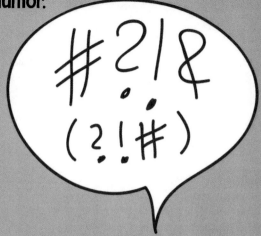

Cuando llegué tarde a la escuela,
me puse súper gruñona.

Durante la clase, el sacapuntas no funcionó.

Eso me hizo súper gruñona.

Después de la escuela, mis amigos decidieron ir a la playa y yo fui.

La Ninja Positiva y el Ninja de la Tierra me agarraron de las manos para jalarme hacia el agua, pero eso no me gustó.

¡Antes de que me diera cuenta, estaba chapoteando y pasándola genial! Y entonces, sentí algo que nunca había sentido antes. ¿Cuál era ese sentimiento?

Ahhhh. La felicidad.

—¿Cómo puedo tener más de eso? —le pregunté cómo si pudiera embotellar la felicidad y comprarla.

—Bueno, no podemos comprarla, pero podemos cultivarla. Te mostraré —respondió la Ninja Positiva sonriendo.

Podemos desterrar el mal humor haciendo cosas
que nos gusta hacer y teniendo gratitud.

Podemos descansar o escuchar música.

Podemos relajarnos en un baño de burbujas.

Si nos tomamos el tiempo para apreciar, nos ayudará a tener gratitud por las cosas pequeñas en la vida.

Como el sol y la comida que comemos.

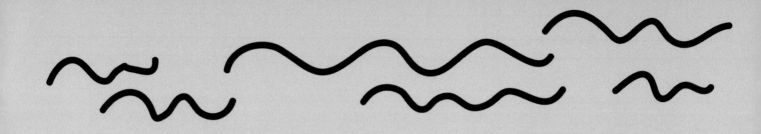

El aire que respiramos y el agua potable que tomamos.

Podemos estar agradecidas por las aves, las abejas, las flores y los árboles.

Y, sobre todo, nuestra familia.

De pronto, nunca me había sentido más feliz y tenía que agradecerle a mi amiga.

Un simple cambio de perspectiva y un poco de gratitud es lo que necesitas como tus armas secretas para desterrar el mal humor.

¡Visítanos en ninjalifehacks.tv para obtener imprimibles divertidos gratis!

[Instagram icon] @marynhin @GrowGrit
#NinjaLifeHacks

[Facebook icon] Mary Nhin Ninja Life Hacks

[YouTube icon] Ninja Life Hacks

[TikTok icon] @ninjalifehacks.tv

Made in the USA
Las Vegas, NV
12 July 2023

74578266R00021